Fehler ABC
Deutsch – Spanisch

von
Carlos Segoviano

Neubearbeitung 1996

Ernst Klett Verlag
Stuttgart · München · Düsseldorf · Leipzig

Fehler ABC Deutsch-Spanisch
von Carlos Segoviano

Dieses Werk folgt der reformierten
Rechtschreibung und Zeichensetzung.

Gedruckt auf Recyclingpapier, das aus chlorfrei
gebleichtem Zellstoff hergestellt wurde.

2. neubearbeitete Auflage 2 4 3 2 | 1999 98 97
Die letzte Zahl bezeichnet das Jahr des Druckens.

Redaktion: Katharina Voß, Elizabeth Webster.
Einbandgestaltung: Erwin Poell, Heidelberg; Ilona Arfaoui, Stuttgart.
Druck: Milanostampa, Farigliano.
Printed in Italy.
ISBN 3-12-560646-2

Inhalt

Zu diesem Buch

Es ist relativ leicht beim Erlernen einer Fremdsprache erste Kenntnisse zu erwerben. Doch bald können Unsicherheiten beim Gebrauch sprachlicher Ausdrücke auftreten: Es werden immer wieder Fehler gemacht, die zu Missverständnissen führen.

Dieses Fehler-ABC soll Ihnen helfen diese typischen Fehler auszumerzen, ohne dabei eine Grammatik oder ein Wörterbuch ersetzen zu wollen. Es behandelt über 100 Wörter und idiomatische Wendungen, die für Sie als deutschsprachige Lernende zu den häufigsten Fehlerquellen im Umgang mit dem Spanischen gehören.

Bevor Sie den Inhalt dieses Fehler-ABCs studieren, sollten Sie sich über zwei Fragen Klarheit verschaffen:

1. *Welches sind meine typischen Fehler, d. h. an welchen Punkten kann ich meine Leistungen verbessern?*

Sie können Ihre typischen Fehlerquellen herausfinden, wenn Sie den Einführungstest am Anfang des Buches lösen. Die 50 spanischen Beispielsätze weisen Lücken auf und sind durch den passenden spanischen Ausdruck zu ergänzen. Die deutsche Entsprechung ist jeweils in Klammern angegeben. Das „Test"-Ergebnis wird Ihnen zeigen, an welchen Stellen immer wieder dieselben Fehler passieren.

2. *Wie kann ich meine Leistungen verbessern?*

a) Lesen Sie zunächst die zu Beginn der einzelnen Stichwörter gegebenen Hinweise und prägen Sie sich ein, was diese für Sie an Neuem enthalten.

b) Danach übersetzen Sie mündlich, oder besser sogar schriftlich, die auf der linken Hälfte aufgeführten deutschen Beispiel- und Übungssätze.

c) Nun legen Sie zur Kontrolle die beigegebene rote Klarsichtfolie auf die rechte Seitenhälfte: die richtige Übersetzung wird lesbar. Sie vergleichen diese mit Ihrer Übersetzung und wissen nun genau, ob Sie das richtige Ergebnis haben, welche Fehler Sie gemacht haben, und Sie können feststellen, welche Fehlerquellen Ihnen bislang vielleicht noch nicht voll bewusst waren.

Der Lernerfolg erhöht sich, wenn Sie den Stoff mehrmals von vorn durcharbeiten, d. h. durchlesen, übersetzen und vergleichen. Die Zahl Ihrer Fehler wird dabei gewiss immer geringer, und Sie spüren, wie Sie im Gebrauch des Spanischen sicherer werden.

Falls Sie auch auch nach mehrmaligem Üben einige Probleme nur schwer in den Griff bekommen, sollten Sie dies am Seitenrand rot markieren und dann das gesamte Fehler-ABC daraufhin nochmals konzentriert durcharbeiten.

Und hier noch Erklärungen zu einigen Abkürzungen, die immer wieder auftauchen:

f	weibliches Substantiv
m	männliches Substantiv
pl	Plural/Mehrzahl
adj	Adjektiv
adv	Adverb
subst	Substantiv
akk	Akkusativ/Wen-Fall
allg	allgemein
fig	im übertragenen Sinn, Gegenteil

Wir wünschen Ihnen viel Spaß beim Durcharbeiten des Fehler ABCs und vor allem viel Erfolg!

Einführungstest

Die richtigen Lösungen finden Sie auf Seite 89.

1. ¿Es este florero de … o de plástico? (Glas)
2. Mi hijo … hablar muy bien español. (können)
3. Tu maleta es muy …, ¿quieres que te ayude? (schwer)
4. Me has entendido mal, no … ti, sino a tu hermano. (meinen)
5. ¿Sabes … la guitarra? (spielen)
6. Le han dado el primer … . (Preis)
7. No hemos visto … de fùtbol. (das Spiel)
8. El tiene muchas … . (Schulden)
9. ¿Quieres … el traje nuevo? (anziehen)
10. Ahora yo no … comer. (mögen)
11. La calle principal … . (laut sein)
12. El domingo … iremos a Colonia. (nächsten)
13. El número de habitantes de la cuidad ha … mucho. (zunehmen)
14. ¿Ha … ya la leche? (kochen)
15. Pedro … ayer enfermo en clase. (wurde)
16. No … toreros ganan tanto dinero. (alle)
17. Usted … un aumento de sueldo. (verdienen)
18. Te espero aquí, ¿puedes …me esta tarde el dinero? (bringen)
19. Juan y Ana son … ideal. (ein Paar)
20. No es tan fácil como parece … ese problema. (lösen)
21. La ensalada … mucho a aceite. (schmecken)

22. ... quince de Agosto no puedo   (vor)
    ir a España.
23. Creo que yo ... el partido liberal.   (wählen)
24. No sabía ... difícil es el ruso hasta   (wie)
    que he empezado a estudiarlo.
25. Si ... el libro, te habría gustado   (gelesen hättest)
    mucho.
26. Quiero una radio de ... más   (Größe)
    pequeño.
27. Voy a compar ... en la droduería.   (Farbe)
28. Pagar por todos ya no es   (unter)
    costumbre hoy... entre los jóvenes
    españoles.
29. Ha comprado ... de fútbol.   (einen Ball)
30. Un ... ha producido un incendio.   (Blitz)
31. La pierna me duele ... que no   (so)
    puedo andar.
32. La ... de Madrid hacia el sur es   (Straße)
    muy pintoresca.
33. Ya es ... de levantarse.   (Zeit)
34. Por favor, ¿va este tren ... Paris?   (nach)
35. Ahora vamos a comer, ... podemos   (dann)
    ir de paseo.
36. Hoy no puedo ... a la fiesta, tengo   (kommen)
    que trabajar aquí en casa.
37. Una vez por semana comemos ... .   (Fisch)
38. Esta es mi ..., nos casamos el   (Freundin)
    mes que viene.
39. No es una ... de dinero, sino de   (Frage)
    tiempo.

40. ¿... cuánto dinero has comprado ese reloj? (für)
41. No lo he hecho con ... intención. (böse)
42. ¿... tu hermano hoy en casa? (sein)
43. Yo no ... tu número de teléfono. (sich erinnern)
44. El ha ... convencerme, pero no lo ha conseguido. (versuchen)
45. Nos vemos en el hotel ... las siete. (gegen)
46. Mi hermano está en Mallorca ... una semana. (seit)
47. ¿Dónde puedo compar... de carreteras? (eine Karte)
48. Siento ... que no puedas venir. (sehr)
49. ¿Dónde ... una famacia cerca de aquí? (ist)
50. En la manifestación había más ... 10.000 personas. (als)

Verzeichnis der deutschen Stichwörter

mit Seitenangabe

Fehler-ABC: „Abend" bis „zunehmen"

1

Abend

la tarde – später Nachmittag
la noche – nach dem Dunkelwerden

Morgen Abend um 6 Uhr
kommt meine Schwester
mit ihren Kindern.

Heute ist keine Abendvor-
stellung.

Weißt du, dass er mich
gestern Abend um 11 Uhr
angerufen hat?

Die Sommerabende ver-
brachten wir am Strand,
bis es dunkel wurde.

Aufgepasst!

Vorabend – *la víspera*
Heiligabend – *Nochebuena*
abends um 6 – *por las tardes* a las 6
abends um 9 – *por las noches* a las 9

Wann gehst du abends
ins Bett?

Normalerweise kommt er
abends um 5 nach Hause.

abnehmen

adelgazar – an Gewicht verlieren
disminuir – geringer/kleiner werden
coger – (Telefon) abnehmen
llevar – Tasche abnehmen

Die Vorräte haben stark abgenommen.

Sie müssten noch ein paar Kilo abnehmen.

Ich habe dich heute Morgen angerufen. Warum hast du nicht abgenommen?

Soll ich dir die Tasche abnehmen?

alle, alles

Nach „*todo*", „*todos*" steht immer der best. Artikel.

todos los – alle
todos los que – alle, die
todo lo que – alles, was

Es ist unmöglich, alles zu erzählen, was wir gesehen haben.

Alle, die studieren wollen, müssen sich einschreiben.

Ich habe alle Bücher von Ortega gelesen.

Glaub nicht alles, was er sagt.

Sind alle Möbel einge-
troffen, die Sie bestellt
hatten?

Sei geduldig mit allen, die
dich fragen.

Aufgepasst!
alle fünf Minuten – *cada* cinco minutos

4 | **alt**

viejo – nicht mehr jung; nicht mehr neu (→ joven, nuevo)
antiguo – aus früheren Zeiten; ehemalig (→ moderno)

Sammeln Sie auch altes
Porzellan?

Die Katze ist schon sehr alt.

Gestern haben wir einen
alten Schulkameraden
getroffen.

Für das Fest habe ich einen
erstklassigen alten Wein.

Aufgepasst!
Wie alt bist du? – ¿Cuántos años tienes?

Er war noch keine 60 Jahre
alt, als er starb.

(sich) anziehen

vestir(se) (ohne Objekt)
poner(se) (mit Objekt) } (sich) Kleider anziehen

Heute ziehe ich keinen
Mantel an.

Bist du schon angezogen?

Die Mutter hat dem Kind
einen Pullover angezogen.

Sie zieht sich sehr
geschmackvoll an.

auch

también – auch
tampoco – auch nicht

Auch wir haben eine Ein-
ladung bekommen.

Auch wir werden morgen
keine Zeit haben.

Hast du auch nicht gut
geschlafen?

Kommen Sie auch mit
uns?

Werdet ihr auch die Aus-
stellung besuchen?

Auch er hat nie wieder
etwas von ihr gehört.

Aufgepasst!

aun – sogar
aun cuando
aunque } auch wenn

Auch wenn er arm wäre? – Auch dann würde ich ihn heiraten.

Auch wenn der Zug Verspätung hat, kann ich rechtzeitig ins Theater kommen.

---

7 ## aufnehmen

recibir, acoger – als Gast empfangen
admitir – als Mitglied aufnehmen
comenzar, empezar – Arbeit/Tätigkeit beginnen

Er hat die Flüchtlinge in seinem Haus aufgenommen.

Wann hat die Regierung die Verhandlungen aufgenommen?

Glaubt ihr wirklich, dass er uns freundlich aufnehmen wird?

Hat man dein Kind in den Kindergarten aufgenommen?

Die Polizei nahm die Verfolgung zu spät auf.

Der Sportclub nimmt dieses Jahr keine neuen Mitglieder auf.

Aufgepasst!

hacer una foto de – fotografieren
grabar – auf Schallplatte/Band aufnehmen

Ich will diesen spanischen Schlager auf Band aufnehmen.

Willst du nicht den Sonnenuntergang aufnehmen?

ausziehen

desnudar(se) (ohne Objekt)
quitar(se) (mit Objekt) } (sich) Kleider ausziehen
estirar – (Tisch) ausziehen

Zieh die Jacke aus, es ist sehr warm.

Er hat sich bereits ausgezogen.

Hilfst du mir bitte die Stiefel auszuziehen?

Da uns Freunde besuchen, müssen wir den Tisch ausziehen.

9

Ball

la pelota – Gummi-/Plastikball
el balón – Lederball
el baile – Tanz(veranstaltung)

Sie verließ den Ball sehr früh.

Der Torwart hielt den Ball.

Der Maskenball findet am Faschingsdienstag statt.

Alle laufen nach dem Ball.

Habt ihr Tennisbälle gekauft?

Ich schenke ihm zum Geburtstag einen neuen Lederball.

Morgen gehen wir zum Sommerball der Universität.

Aufgepasst!

Erdball, Luftballon – *el globo*
Billardball, Schneeball – *la bola* de billar/de nieve

Das Kind spielt mit dem roten Luftballon.

Wollen wir eine Schneeballschlacht machen?

bei

con – mit (zusammen)
en casa de – bei (im Hause von)
cerca de, junto a – in der Nähe von

Samstag können die Kinder
bei mir übernachten.

Die Kinder waren während
der ganzen Fahrt bei mir.

Das Fest wird bei den
Rodríguez stattfinden.

Die berühmten Höhlen
von Altamira liegen bei
Santander.

Wenn sie nicht hier ist,
dann ist sie sicher bei
ihrem Onkel im Garten.

Das Dorf, wo unsere
Freunde wohnen, liegt
bei München.

Aufgepasst!

Handlungen werden oft mit Gerundium übersetzt:

beim Lesen – *leyendo*
bei einem Glas Wein – *tomando* un vaso de vino

Er war beim Mittagessen,
als das Telefon klingelte.

Wir sind jetzt dabei neue
Blumen zu pflanzen.

11

bekommen

tener
recibir } Post erhalten

conseguir
lograr } durch Bemühung erhalten; finden

Es ist sehr schwer diese
Stelle zu bekommen.

Habt ihr noch keinen
Brief von ihm bekommen?

Ihre Schwester ist sehr an-
spruchsvoll, sie wird nie
das bekommen, was sie
möchte.

Ich habe heute von meinen
Eltern ein Paket mit
Süßigkeiten bekommen.

Nach vielen Anstrengun-
gen hat er bekommen,
was er wollte.

Aufgepasst!
einen Besuch bekommen – *tener* una vista
eine Einladung bekommen – *recibir* una invitación
eine Krankheit bekommen – *coger*/(Am *agarrar*) una
                                    enfermedad

12

bestellen

pedir, encargar – (Waren/Speisen) bestellen
reservar – (Platz/Zimmer) reservieren
llamar – jdn kommen lassen

Der Direktor hat uns in sein Büro bestellt.

El director nos ha llamado a su despacho.

Wie viele Flaschen hatten Sie bestellt?

¿Cuántas botellas había pedido/encargado usted?

Wir haben einen Tisch in der Ecke bestellt.

Hemos reservado una mesa en la esquina.

Sie können die bestellten Teile abholen.

Puede recoger las piezas pedidas/encargadas.

Warum hat sie uns für 8.30 Uhr bestellt?

¿Por qué nos ha citado para las ocho y media?

Die Sekretärin hat schon ein Hotelzimmer bestellt.

La secretaria ha reservado ya una habitación en un hotel.

Aufgepasst!

dar recuerdos/saludar – Grüße ausrichten

Bestell deiner Freundin viele Grüße von mir.

Saluda a tu amiga de mi parte/de parte mía.

Bild

13

el cuadro – Gemälde
el retrato – Porträt
la imagen – Bild (Fernsehen, Film)
la idea – Einblick, Vorstellung (fig)

Das Bild ist verschwommen, weil der Fernseher alt ist.

La imagen está borrosa porque el televisor es viejo.

Velasques malte ein Bild von König Karl III.

Velázquez pintó un retrato del rey Carlos tercero.

Der Vortrag hat mir ein Bild von der sozialen Lage Spaniens vermittelt.

Das Schönste an diesem Film waren die Bilder aus dem Flugzeug.

Sie sammelt abstrakte Bilder.

Auf den 100-Peseten-Scheinen sieht man das Bild der „Dunkelhaarigen Frau" von J. Romero.

Sie können sich kein Bild von seiner Faulheit machen.

In der Ausstellung habe ich einige Bilder von Picasso gesehen.

14 bleiben

quedarse – dableiben
quedar – übrig bleiben
permanecer/seguir – andauern

Bis wann wollen Sie hier bleiben?

Das Wetter bleibt regnerisch.

Es bleibt uns keine andere Wahl.

Kommst du mit uns oder bleibst du bei ihr?

Die Geschäfte bleiben bis
Dienstag geschlossen.

Es bleibt nur noch ein
Ausweg.

Blitz

el relámpago – Lichtschein des Blitzes
el rayo – Blitzschlag (und fig)

Der Blitz schlug in das
Haus ein.

Der Blitz hatte eine eigen-
artige Form.

Feuchtigkeit zieht den
Blitz an.

Der Blitz hat das Zimmer
erhellt.

Die Nachricht schlug wie
ein Blitz ein.

Boden

el suelo, el piso – Fußboden
la tierra, el terreno – Erdboden; Gelände
el fondo – Boden eines Gefäßes; Meeresboden

Auf dem Meeresboden hat
man einen Schatz gefunden.

Dieser Boden ist sehr
fruchtbar.

Dieses alte Fass hat keinen Boden.

Wir saßen auf dem Fußboden.

Der Boden war sehr nass.

Willst du den Fußboden kehren?

Aufgepasst!

Dachboden – *el desván, la bohardilla*
auf italienischem Boden – **en** *territorio* italiano

Die modernen Häuser in Spanien haben keinen Dachboden.

Bald werden wir chilenischen Boden betreten.

17 **böse**

malo – böse (von Charakter); unheilvoll
enfadado con – böse auf

Er ist kein böser Mensch.

Bist du mir noch böse?

Ich fürchte, er wird eine böse Überraschung erleben.

Sie war böse auf uns, weil wir nicht geschrieben hatten.

bringen

18

traer – herbringen ● ←
llevar – hinbringen ● →

Ludwig hat seiner Freundin rote Rosen gebracht.

Bring das Kind nicht hierher, bring es ins Bett.

Wenn Sie es eilig haben, bringe ich Sie zum Bahnhof.

Bringen Sie uns bitte einen spanischen Kognak!

Ludwig ha llevado a su amiga rosas rojas.

No traigas al niño aquí, llévalo a la cama.

Si tiene prisa, yo le llevo a la estación.

¡Tráiganos un coñac español, por favor!

dann

19

luego, después – danach
entonces – zu diesem Zeitpunkt; in diesem Fall

Zuerst gehen wir ins Theater und dann gehen wir essen.

Im Juni fahre ich nach Madrid. Dann besuche ich den Prado.

Hast du Durst? Dann bringe ich eine Flasche Mineralwasser.

Wir fuhren zuerst nach Mexiko und dann nach Texas.

Primero vamos al teatro y luego, después, vamos a comer.

En junio voy a Madrid. Entonces visitaré el Prado.

¿Tienes sed? Entonces traigo una botella de agua mineral.

Fuimos primero a Méjico y después a Texas.

20

Datum/-en

la fecha – Angabe von Tag und Jahr
los datos – Daten

Die Firma sucht einen
Angestellten für die
Datenverarbeitung.

Ändern Sie bitte das
Datum!

Kennst du die technischen
Daten dieses Flugzeugs?

Welches Datum haben
wir heute?

21

dieser

este coche – dieses Auto (greifbar)
ese coche – dieses Auto da (in der Nähe, aber nicht
greifbar)
aquel coche – das Auto dort (weit entfernt)

Dieses Wörterbuch (hier)
ist das beste.

Nimm das Fernglas, da-
mit kannst du dieses
Flugzeug besser sehen.

Um diese Lampe abzuneh-
men, brauche ich eine
Leiter.

Siehst du dieses Haus
(dort)? Es ist 200 Jahre alt.

Dieses Kleid (hier) ist sehr jugendlich.

Dieser weiße Schrank (da) ist sehr modern.

Dieser Hut, den du auf hast, steht dir nicht.

Kennst du dieses Buch, das ich hier habe?

doch

22

sí – aber ja (positive Antwort auf negative Frage)
pero, sin embargo – aber, trotzdem

Ihm fehlt es an nichts, doch glücklich ist er nicht.

Das kann nicht wahr sein. – Doch, ich habe es selber gesehen.

Kommen Sie nicht? – Doch, aber etwas später.

Wir haben ihm Geld angeboten, doch er wollte es nicht.

Aufgepasst!

Als Füllwort wird „doch" nicht übersetzt:

Du wirst mir doch helfen?

Denken Sie doch an die armen Leute!

23

entlassen

despedir, echar – (einem Arbeitnehmer) kündigen
dar de alta – (einen Patienten) entlassen
licenciar – (einen Soldaten) entlassen

Herr Doktor, wann kann
ich nach Hause gehen?
– Wir werden Sie bald
entlassen.

Man hat ihn vorzeitig aus
dem Wehrdienst entlassen.

Man wird ihn nicht entlassen, er ist sehr fleißig.

Sein Zustand ist so gut,
dass man ihn schon entlassen hat.

Die Automobilfabrik hat
1 000 Arbeiter entlassen.

24

(sich) erinnern

recordar (akk) – sich erinnern an; jdn erinnern an
acordarse de – sich erinnern an

Erinnere mich daran, dass
ich die Eintrittskarten
kaufen soll.

Erinnern Sie sich an diesen
Film von Buñuel?

Warum habt ihr mich
nicht daran erinnert,
dass ich anrufen sollte?

Oft werde ich mich an diesen Tag erinnern.

Aufgepasst!

Sie erinnern mich an jemanden – Usted me *recuerda* a alguien.

erklären

explicar, aclarar – erläutern, deuten
declarar – aussagen; nachdrücklich sagen

Ihre Freude ist sehr einfach zu erklären.

Wir erklärten vor dem Richter, dass wir von dem Diebstahl nichts wußten.

Er erklärte seinen Freunden, was geschehen war.

Er erklärte uns, dass er einverstanden wäre.

Aufgepasst!

¿Tiene usted algo que *declarar*? – Haben Sie etwas zu verzollen?

26

fahren

ir en – fahren mit (allg)
viajar en – reisen mit
tomar – benutzen (öffentliche Verkehrsmittel)
conducir, guiar – lenken (Fahrzeug)
circular – verkehren

Willst du heute mit dem
Auto oder mit der Straßenbahn fahren?

Auf der Insel fährt fast
kein Zug.

Mein Mann fährt schnell
und sicher.

Wir werden mit dem
Schiff nach Teneriffa
fahren.

Fahren wir mit dem Auto
oder lieber mit dem Zug?

Er hat mich fahren lassen.

Die Straßenbahn fährt
von 5 bis 23 Uhr.

Nach Hamburg fahren
wir immer mit dem Zug.

Aufgepasst!

ir en avión – fliegen

Farbe

el color – optische Eigenschaft
la pintura – Material zum Anstreichen

Es riecht nach frischer
Farbe.

Dein Gesicht hat heute
eine gute Farbe.

Grün ist meine Lieblings-
farbe.

Mit dieser gelben Farbe
will ich den Tisch
streichen.

Fehler

la falta, el error – Fehler, den man macht
el defecto – Fehler, den man/etwas hat

Nur ein Mechaniker kann
diesen Fehler reparieren.

Sie haben beim Diktat
fünf Fehler gemacht.

Dieser Fehler ist schwer
wiedergutzumachen.

Wer hat (schon) keine
Fehler?

29

Fisch

el pez (pl *peces*) – im Wasser
el pescado – als Speise

Wir essen oft tiefgefrorenen Fisch.

Er fühlt sich wie ein Fisch im Wasser.

Im Hafen wird frischer Fisch verkauft.

Willst du die Fische füttern?

30

Frage

la pregunta – Frage (allg)
la cuestión – Problem, Thema

Hat noch jemand von Ihnen eine Frage zu diesem Thema?

Der Beitritt dieses Landes zur EU ist eher eine politische als eine wirtschaftliche Frage.

Du kannst mir alle Fragen stellen, die du willst.

Es ist nur eine Frage der guten Erziehung.

Freund, Freundin

un amigo, una amiga – ein Freund, eine Freundin
el novio, la novia – der (feste) Freund, die (feste) Freundin

Eine ihrer Freundinnen
lebt in Dänemark.

Seine Freundin studiert
Pädagogik.

Der Brief beginnt mit den
Worten: Lieber Freund!

Martas Freund ist
Deutscher.

Aufgepasst!

der/die Verlobte – *el prometido/la prometida*

freundlich

amable – (Menschen und Handlungen)
simpático – (Menschen)
amistoso – (Handlungen)

Einen so freundlichen
Empfang hatten wir nicht
erwartet.

Sprechen Sie mit ihm, er
ist sehr freundlich.

Seine Worte hätten nicht
freundlicher sein können.

Sie ist freundlicher als
ihr Mann.

Aufgepasst!
freundliches Wetter – **tiempo** *agradable*

---

33 **frisch**

fresco – kühl; unverdorben
limpio – sauber

Im Hotel hatten wir jeden
Tag frische Handtücher.

Der frische Wind von der
Küste ist sehr angenehm.

Die frische Wäsche ist im
Schlafzimmerschrank.

In Spanien haben wir fast
jeden Tag frischen Fisch
gegessen.

Aufgepasst!
fresco – auch: frech

---

34 **für**

Der deutschen Präposition „für" entsprechen verschiedene
spanische Präpositionen. Die größten Schwierigkeiten
ergeben sich beim Gebrauch von **por** und **para**. Hier die
Hauptunterschiede:

para {
Es una emisón *para* niños. (Bestimmung)
Necesito dinero *para* el viaje. (Zweck)
Está muy alto *para* su edad. (Verhältnis)
}

$$por \begin{cases} \text{He pagado 100 pts. } por \text{ el reloj. (Preis)} \\ \text{Juan es conocido } por \text{ su formalidad. (Grund)} \\ \text{Me dan 27 marcos } por \text{ 500 pts. (Austausch)} \end{cases}$$

Ist dieser Brief für Sie?

Ich möchte mich für meine Worte entschuldigen.

Wieviel zahlt ihr für die neue Wohnung?

Für die damalige Zeit war das ein gutes Gehalt.

Brauchst du das Wörterbuch für deine Arbeit?

Für das beschädigte Exemplar werde ich Ihnen ein anderes schicken.

Der Minister hat einen Plan für die Steigerung der Produktion vorgelegt.

Diesen Wagen haben wir für 10 000 Mark gekauft.

Das behalte ich für mich.

geboren

35

haber nacido el ... – geboren sein am ...
nacido en ... – (amtlich) geboren in ...
un político nato/de nacimiento – ein geborener Politiker

Ich bin in Dresden geboren, lebe aber in Spanien.

Du bist der geborene Schauspieler.

In seinem Pass steht: geboren am 10. 1. 1950 in Hamburg.

Das Kind ist am 1. März geboren.

Er ist ein geborener Kaufmann.

Aufgepasst!

Frau Luisa Pérez, geb. Müller – **señora Luisa Müller** *de* **Pérez**; *señora* **de** **Pérez**

36

Gefühl

el sentimiento – Empfindung
la sensibilidad – Empfindsamkeit, Gespür
la sensación – Eindruck

Ich habe das Gefühl, dass du dich langweilst.

Warum zeigt sie ihre Gefühle nicht?

Er hat ein besonderes Gespür für solche Sachen.

Lass dich von deinen Gefühlen leiten.

Schon als Kind hatte er ein ausgeprägtes Gefühl für Musik.

Die Passagiere hatten das
Gefühl, dass das Schiff
untergehen würde.

Aufgepasst!

sentimental – Liebes-
sensible (a) – empfindsam, empfindlich (gegen)
sensato – vernünftig

Das war eine sehr ver-
nünftige Entscheidung.

Sind Sie sehr empfindlich
gegen Hitze?

Das war ein gefährliches
Liebesabenteuer.

gegen

contra – (räumlich + gegnerisch)
hacia – (zeitlich)

Wir wachten gegen
Mitternacht auf.

Don Quixote kämpfte
gegen Windmühlen.

Ich werde versuchen ge-
gen 8 Uhr bei dir zu sein.

Er fuhr gegen einen Baum.

37

38

gehen

ir – gehen (jede Art der Fortbewegung)
ir a pie – zu Fuß gehen
andar, caminar – laufen, wandern (Gegensatz zu „fahren")

Gehst du heute auf die Party? – Nein, ich gehe nicht.

Heute fahren wir nicht mit dem Wagen, wir gehen zu Fuß.

Meine Tochter ist sehr klein, sie kann noch nicht gehen.

Am Samstag gehen wir schwimmen.

Wenn Sie zu Fuß gehen wollen, müssen Sie früh aufstehen.

Mit diesen Schuhen kann ich nicht gut gehen.

Aufgepasst!

Wie geht es dir? – ¿Qué tal *estás/te va*?
Die Uhr geht nicht. – El reloj no *anda*.

Wissen Sie, wie es seinem Vater geht?

Meine Uhr geht schon wieder nicht.

gerade

estar + Gerundium – gerade tun
acabar de + Infinitiv – gerade getan haben

Wir sind gerade aus Süd-
amerika gekommen.

Er träumt gerade von den
Ferien.

Lass ihn, er schläft gerade.

Ich habe gerade Ihre
Freundin getroffen.

Aufgepasst!

gerade heute – precisamente/justamente hoy

Glas

el cristal, el vidrio – Werkstoff
el vaso – Trinkglas; *la copa* – Stielglas

Jetzt trinken wir ein Glas
Sekt auf dein Wohl.

Ein Glas Orangensaft,
bitte!

Nach dem Essen trinkt er
ein Glas Kognak.

Ich möchte eine Blumen-
vase kaufen.

Wir waren durstig und
tranken zwei Glas Wasser.

Die ganze Wohnzimmer-
front ist aus Glas.

41 ## Glück

la felicidad
la dicha } Zustand des Glücklichseins

la suerte
la fortuna } günstiges Geschick

Es ist ein großes Glück,
dass niemand es gemerkt
hat.

Die Bücher sind sein
ganzes Glück.

Die Nachricht ist zwar
unangenehm, sie zerstört
aber unser Glück nicht.

Er hat noch Glück im
Unglück gehabt.

Aufgepasst!

feliz
dichoso } vom Glücksgefühl erfüllt
afortunado – vom Glück begünstigt

Was für ein glücklicher
Zufall, Sie hier zu treffen!

Dieser unerwartete Besuch
machte ihn glücklich.

42 ## Größe

la estatura – Körpergröße
el tamaño – Format, Umfang

Ich habe nie einen Pfirsich
von dieser Größe gesehen.

Er war ein Mann mittlerer
Größe.

Einen Schrank dieser
Größe müssen wir erst
bestellen.

Du hast die richtige
Größe für einen Basket-
ballspieler.

Aufgepasst!
Kleidergröße – *la talla*
Schuh-/Hemd-/Hutgröße – *el número*

Wir haben keine andere
Jacke in Ihrer Größe.

Haben Sie diese Schuhe
in Größe 40?

haben

haber – (Hilfsverb)
tener – (Vollverb)

Ich habe einen Brief an
Fernando geschrieben.

Hast du ein Auto?

Sie hat viele Freunde.

Hast du heute Zeit
gehabt?

43

44 **heißen**

llamarse – heißen (allg)
apellidarse – den Nachnamen haben
significar, querer decir – bedeuten

Wie heißen Sie mit Nach-
namen, bitte?

Heißt das, dass Sie den
Wagen verkauft haben?

Wie heißt dieser Stier-
kämpfer wirklich?

Ich habe vergessen, wie sie
mit Nachnamen hieß.

Alle nennen mich Bob,
aber ich heiße nicht so.

Ein Brief von Robert?
Das heißt wahrscheinlich,
dass er nicht kommen
kann.

45 **(da) ist, (da) sind**

„Da ist" wird im allgemeinen mit *está, están* übersetzt, in
der Bedeutung von „es gibt" mit *hay*.

Mein Bruder ist nicht hier.

Ist etwas Brot da?

Dein Spielzeug ist unter
dem Tisch.

Auf dem Tisch sind eine
Zeitung und ein Buch.

Was ist in diesem
Umschlag?

Barbara war vorhin da,
wo ist sie jetzt?

jeder

cada (adj)
cada uno (subst) } jeder (einzelne)

todos + Artikel (adj)
todos (subst) } alle

cualquier(a) – jeder (beliebige)

Jeder fühlt sich hier wie
zu Hause.

Jedes dieser Wörterbücher
kostet 2 000 Peseten.

Dieses Problem kann jeder
lösen.

Er kann jeden Augenblick
kommen.

Wir gehen jeden Abend aus.

Wir sind jeden Tag
schwimmen gegangen.

Jeden Tag freue ich mich
mehr über die Blumen.

Seine Bücher hat jeder
gelesen.

Jeder von uns hat sein
eigenes Zimmer.

Aufgepasst!

nicht jeder – *no todos* (Plural!)
jeder (in verneinten Sätzen) – *ninguno*

Er hat die Prüfung ohne
jede Schwierigkeit
bestanden.

Nicht jeder ist so glücklich
wie du.

47 ## Karte

la carta – Spiel-/Speisekarte
el mapa – Landkarte
la tarjeta, la postal – Postkarte
la entrada – Eintrittskarte

Herr Ober, bringen Sie mir
bitte die Weinkarte!

Suchen Sie Santander auf
der Karte?

Sie können die Karten an
der Kasse abholen.

Haben Sie die Karten gut
gemischt?

Deine Karte aus der
Schweiz hat uns sehr
gefreut.

Es gibt keine Karten für
die Oper.

Wir haben eine gute
Straßenkarte gekauft.

Ich habe meinen Eltern eine Ansichtskarte geschickt.

Aufgepasst!
la carta – Brief

kochen

guisar (immer verwendbar)
preparar (nur mit Objekt) } zubereiten
cocinar (nur ohne Objekt)

hervir, cocer – sieden

Meine Freundin kann sehr gut kochen.

Zu deinem Geburtstag werde ich dir ein besonders gutes Essen kochen.

Pass auf, die Milch wird gleich kochen.

Nicht jeder kann eine „Paella" gut kochen.

Hat das Wasser schon gekocht?

Dieses Wochenende werde ich kochen.

Was sie nicht kochen kann ist Reis.

Aufgepasst!
gar gekocht – bien *cocido/pasado*
kochendes Wasser – agua *hirviendo*

49

kommen

venir – (zum Sprechenden hin) ● ←
ir – (vom Sprechenden weg) ● →
llegar – ankommen (irgendwo)

Mein Freund ist noch
nicht hier, er kommt
etwas später.

Einen Augenblick, bitte!
Ich komme gleich.

Er ist mit dem 8-Uhr-Zug
(an)gekommen.

Kommen Sie bitte ans
Mikrofon!

Als sie an einen Fluß ka-
men, setzten sie sich hin.

Ich rufe dich an, weil ich
nicht weiß, ob ich heute
kommen kann.

Aufgepasst!

auf den Geschmack kommen – *tomar* el gusto
dazu kommt, dass … – hay que *añadir* que …
Wie kommst du darauf? – ¿Cómo se te *ocurre* eso?

50

können

poder – vermögen, in der Lage sein
saber – gelernt haben, beherrschen

Können Sie Schach spielen?

Ich kann jetzt nicht Schach spielen, ich habe keine Zeit.

Gestern konnte ich die Arbeit nicht beenden.

Er kann sehr gut schwimmen.

Kultur

51

la cultura – Bildung (einer Person)
la civilización – Kultur (eines Volkes/einer Epoche)

Die Inkas hatten eine hoch entwickelte Kultur.

Ortega war ein Mensch von umfassender Bildung.

Ihr Vater war ein Mann von Kultur.

Im Norden Spaniens kann man noch heute Reste der keltischen Kultur sehen.

Aufgepasst!

Kulturabkommen – el tratado *cultural*
kultivierter Mensch – la persona *culta*
Bananenkultur – el *cultivo* de plátanos
Kulturboden – el terreno *cultivado*

52

Land

el país, la nación – Staat
el campo – Land (→ la ciudad)
la tierra – Erde (→ el mar)

Er schwamm mit großer
Mühe ans feste Land.

Sag mal, welches ist das
Land deiner Träume?

Hier auf dem Land ist die
Luft reiner.

Wir haben das Wochenen-
de auf dem Land verbracht.

Die Schildkröte lebt im
Wasser und auf dem Land.

Die Außenminister der
EU-Länder haben sich in
Lissabon getroffen.

Aufgepasst!
Heimatland – *la patria*

53

lassen

dejar, permitir – zulassen, erlauben
mandar – veranlassen

Sie hat ihr Hochzeitskleid
in Paris machen lassen.

Ich bin sicher, dass mein
Vater mich nach England
fahren lässt.

Haben Sie schon den Brief
tippen lassen?

Er lässt die Kinder tun,
was sie wollen.

Aufgepasst!

Lasst uns gehen! – ¡*Vámonos*!
Lass das jetzt, bitte! – ¡*Deja* eso ahora, por favor!
sich bitten lassen – *hacerse* de rogar

laut

54

hacer/meter ruido – Lärm machen
ser ruidoso – von Lärm erfüllt sein

Seitdem keine Autos mehr
verkehren, ist die Straße
weniger laut.

Der Motor ist neuerdings
zu laut.

Dieses Hotel ist sehr laut,
weil es im Zentrum liegt.

Die Überschallflugzeuge
sind entsetzlich laut.

Aufgepasst!

laut sprechen – hablar *alto/en voz alta*

Warum spricht er immer
so laut?

55

leicht (vgl. „schwer")

fácil, sencillo – leicht zu tun
ligero – leicht an Gewicht (und fig)
leve – leicht (Krankheit)

Das Problem seiner Nach-
folge ist nicht leicht zu
lösen.

Klassische Musik interes-
siert ihn nicht, er hört nur
leichte Musik.

Die Prüfung war nicht so
leicht.

Ich bin vorige Woche nicht
gekommen, weil ich eine
leichte Grippe hatte.

Für Flugreisen nehme ich
immer den leichten Koffer.

Der Arzt hat mir gesagt,
dass es eine leichte Krankheit ist.

56

lösen

soltar, desatar – loslösen
solucionar, resolver – Problem/Frage lösen

Wir haben das Problem
schnell gelöst.

Die Matrosen lösen die Knoten mit großer Leichtigkeit.

Bald werden wir die Geldfrage lösen.

Mein Schuhband hat sich gelöst.

Aufgepasst!

einen Vertrag lösen – *rescindir* un contrato

mehr als (vgl. „weniger als")

57

más que – mehr als
dagegen:
más de – (vor Zahlen)
más de lo que – (vor Sätzen)

Er hat mehr als fünf Jahre in Brasilien verbracht.

Habt ihr euch mehr/besser amüsiert als voriges Jahr?

Für den Urlaub brauchst du mehr als 1000 Mark.

Sie ist hübscher als du dachtest, nicht wahr?

Euer Sohn ist viel fleißiger als unserer.

Er weiß mehr, als er uns gestern erzählt hat.

58 **meinen**

opinar, pensar – der Meinung sein
decir – sagen, zum Ausdruck bringen
querer decir – sagen wollen
referirse a – sich beziehen auf

Was meinst du damit?

Und was meinen Ihre
Eltern dazu?

Meinen Sie das im Ernst?

Ich meine, wir könnten
schon gehen.

Ich meinte das französische
Buch, nicht das spanische.

Damit meinte er nicht, dass
die Arbeit langweilig sei.

Meinen Sie, wir können
die Ferien in der Schweiz
verbringen?

Ich meinte eigentlich deinen Freund.

59 **mögen**

gustar – grundsätzlich Gefallen/Geschmack finden an
querer, tener ganas de – jetzt Lust haben auf

Ich mag seine Bilder, aber
ihn mag ich nicht.

Mögen Sie jetzt ein Bier?

Er mag kein Bier, er trinkt nur Wein.

Jetzt mag ich keine klassische Musik hören.

Er mag sie.

Aufgepasst!

Was möchten Sie? – *¿Qué desea(ba)?*
Ich möchte spazieren gehen. – *Quisiera/Deseo* ir de paseo.

nach

60

a, hacia – nach (räumlich)
después de – nach (zeitlich)
según – gemäß

Fährt dieser Bus nach Toledo oder nach Segovia?

Nach diesem Bericht ist die Ausstellung ein großer Erfolg gewesen.

Nach einer Stunde haben wir die Fahrt fortgesetzt.

Das ist nicht nach seinem Geschmack.

Nach dem Essen machen wir einen Spaziergang.

Zuerst schaut man nach links, dann nach rechts.

61

nächster

próximo
que viene } kommend (auf die Gegenwart bezogen)

siguiente – folgend (auf die Vergangenheit bezogen)
más cercano – nächstgelegen (räumlich)

Am nächsten Tag hatte ich Kopfschmerzen.

Nächste Woche beginnen die Ferien.

Die nächste Tankstelle ist 5 km von hier entfernt.

Zuerst besuchte uns mein Freund; in der Woche darauf kamen meine Eltern.

Nächsten Samstag gehen wir in einen Vortrag über Chile.

Wir hatten Hunger und gingen ins nächste Geschäft, um Brot und Wurst zu kaufen.

Aufgepasst!
der Nächste – *el prójimo*

62

Opfer

el sacrificio – Opfer, das man bringt
la víctima – Opfer, das man ist

Das ist doch kein Opfer,
ich mache es gern für dich.

Das Erdbeben forderte
viele Opfer.

Wir sind das Opfer einer
Intrige geworden.

Die Eltern brachten viele
Opfer, um ihre Kinder
studieren zu lassen.

Paar; ein paar

una pareja – zwei zusammengehörende Personen
un par de – zwei zusammengehörende Dinge;
          einige, ein paar
unos – einige, ein paar

Sie sind ein unzertrenn-
liches Paar.

Er wird in ein paar Tagen
zurückkommen.

Er hat mir ein Paar gol-
dene Ohrringe geschenkt.

Ich habe ein paar Zeilen
geschrieben, um mich zu
bedanken.

Der Eiskunstlauf der
Paare war großartig.

Willst du ein Paar neue
Sommerschuhe?

64

passen

ir bien con – zu etwas passen
estar/sentar bien – zu jdm passen (Kleidung)
hacer buena pareja – zueinander passen (zwei Personen)
ir/venir bien – jdm recht sein

Trotz des Altersunter-
schiedes passen sie gut
zusammen.

Wenn dir der Rock passt,
schenke ich ihn dir.

Um 8 Uhr würde es mir
sehr gut passen.

Die blaue Krawatte passt
nicht zu diesem Anzug.

Passt es dir, wenn wir uns
am Bahnhof treffen?

Es ist schön sie zu sehen,
sie passen sehr gut zusammen.

Der Mantel meines Bru-
ders passt mir nicht.

Ich habe keine Schuhe,
die zu dem Abendkleid
passen.

Plan

el plano (pl *planos*) – Entwurf; Stadtplan
el plan (pl *planes*) – persönliche Absicht; Entwicklungs-
plan

Ich habe einen guten Plan
für diesen Sommer.

Hier haben wir einen guten
Plan von Mainz.

Der Architekt hat uns die
Pläne für das Haus
gebracht.

Der zweite Entwicklungs-
plan sieht den Bau von
800 km Autobahn vor.

Aufgepasst!

Fahrplan – *el horario* (de trenes/de autobuses)

Platz (vgl. „Raum")

la plaza – umbaute Fläche
el lugar, el sitio – freier Platz
el asiento – Sitzplatz

Hast du noch Platz für
deine Bücher?

Er hat einer Dame seinen
Platz angeboten.

Vor dem Schloss ist ein
großer Platz.

Ist hier noch ein Platz frei?

Wir müssen über den
Platz fahren.

Der Schrank nimmt viel
Platz ein.

Aufgepasst!

Theaterplatz usw. – *la localidad/la entrada*
Sportplatz – *el campo de deportes* (Am *la cancha*)

Ein guter Platz für den
Stierkampf kostet
10 000 Peseten.

Bei der Universität ist ein
moderner Sportplatz.

67

Preis

el precio – Geldwert
el premio – Siegespreis, Gewinn

Wir hoffen, dass Sie den
Preis gewinnen.

Letztes Jahr sind die Preise
um 8% gestiegen.

Man hat als Preis 1 000
Pesos ausgesetzt.

Sie sieht nie auf den Preis.

Aufgepasst!

Prämie (Versicherung) – *la prima*

Probe (vgl. „Versuch")

68

la prueba – Prüfung, Kontrolle
el ensayo – Theater-/Konzertprobe
la muestra – Warenprobe

Nach der zweiten Probe-
fahrt beschlossen wir den
Wagen zu kaufen.

Können Sie uns einige Proben Ihrer neuen Kosmetik-
serie schicken?

Wann beginnen die Proben
zur Uraufführung?

Wir legen Ihnen ein paar
Proben der von uns herge-
stellten Stoffe bei.

Sie kommt immer zu spät
zur Probe.

Wir werden ihn auf die
Probe stellen.

Raum (vgl. „Platz")

69

la habitación, el cuarto – Zimmer
el espacio – Weltraum; Platz
la región – Gebiet, Bereich

Russen und Amerikaner
werden den Weltraum
gemeinsam erforschen.

Alle Räume dieser Wohnung sind hell.

Im Raum München – Nürnberg sind alle Straßen verschneit.

Die Tiere im Zoo leben auf engem Raum zusammen.

Wie viele Räume hat deine neue Wohnung?

Die moderne Technik versucht, Raum und Zeit zu überwinden.

Im norddeutschen Raum gibt es kaum Berge.

Aufgepasst!

Aufenthaltsraum – *la sala de estar*
Wohnzimmer – *el cuarto de estar*

70

Reihe

la fila – Reihe (Personen, Sitzgelegenheiten)
una serie de – eine Anzahl, einige

Ich habe eine Reihe von Fragen, die ich mit Ihnen besprechen möchte.

Die Studenten belegen immer die hinteren Reihen.

Eine Reihe von Anrufen hat mich daran gehindert die Arbeit zu beenden.

Vor dem Geschäft stand eine lange Reihe wartender Menschen.

Aufgepasst!
Wer kommt jetzt an die Reihe? – *¿A quién toca ahora?*
Sie sind an der Reihe! – *¡Le toca a usted!*

schlagen

71

pegar – prügeln
golpear – schlagen gegen
derrotar, vencer – besiegen
batir – Eiweiß/Sahne schlagen

Er hat seine Kinder nie geschlagen.

Warum hat er mit der Faust auf den Tisch geschlagen?

Der Regen schlägt gegen das Fenster.

Ich möchte jetzt die Sahne für den Kuchen schlagen.

Unsere Mannschaft hat Holland 4 : 0 geschlagen.

Warum hast du deinen Klassenkameraden geschlagen?

Wer sagt, dass Paul ein geschlagener Mann ist?

Aufgepasst!
Die Uhr schlägt 2 Uhr. – El reloj *da* las dos.
Das Herz schlägt. – El corazón *late*.

72 ## schmecken

gustar
estar bueno } gut schmecken

saber a
tener sabor a } schmecken nach

Die Suppe schmeckt nach Sherry-Wein.

Hat Ihnen das Essen im spanischen Restaurant geschmeckt?

Das Fleisch schmeckt heute angebrannt.

Nun, schmecken Ihnen die Muscheln?

73 ## Schuld

la deuda – Geldschuld
la culpa – sittliches Verschulden, Verantwortung
la culpabilidad – Schuldigsein

Es ist nicht ihre Schuld, dass die Sache so endete.

Er hat mehr Schulden als Haare auf dem Kopf.

Er hat bis zuletzt seine Schuld bestritten.

Endlich habe ich alle meine Schulden beglichen.

Niemand glaubte an seine Schuld.

Ist es meine Schuld gewesen?

Aufgepasst!

schuldig sprechen – *declarar culpable, condenar*
Schuld haben an – *ser culpable de, tener la culpa de*

Wer ist schuld daran?

Das Gericht sprach ihn schuldig.

schwer (vgl. „leicht")

74

difícil – schwer zu tun
pesado – schwer an Gewicht (und fig)
grave – schwer (Krankheit)

Das ist sehr schwer zu erklären.

Es handelt sich um eine schwere Bronchitis.

Für zwei Männer ist das Klavier zu schwer.

Es ist sehr schwer gewesen die Importlizenz zu erhalten.

Er leidet an schweren Depressionen.

Dieses Essen ist sehr schwer für den Magen.

Aufgepasst!

Pepe es muy *pesado*. – Pepe ist sehr lästig.

75

schwimmen

nadar – (lebende Personen und Tiere)
flotar – (Gegenstände und leblose Körper)

Mein Sohn kann schwimmen, seit er drei Jahre alt ist.

Ein Stück Holz schwamm im Wasser.

Die Polizei entdeckte eine schwimmende Leiche.

Jeden Freitag gehen wir eine Stunde schwimmen.

Aufgepasst!

flotar – auch: (in der Luft) schweben, flattern

sehr

muy – (beim Adjektiv oder Adverb)
mucho – (beim Verb oder Substantiv)

Es war ein sehr ange-
nehmer Abend.

Ich werde euch sehr
vermissen.

Sie ist sehr spät zurückge-
kommen.

Ich tue es sehr gern, wenn
ich Zeit habe.

Wenn ich vom Büro
komme, bin ich oft sehr
müde.

Dieses Theaterstück hat
uns sehr gefallen.

Aufgepasst!

zu sehr – *demasidado*
wie sehr – *cuánto*

Sie wissen nicht, wie sehr
ich mich freue.

Ich bin zu sehr beschäftigt,
um mich um deine Angele-
genheiten zu kümmern.

77 **sein**

Außer in einigen Grenzfällen sind die Regeln für den Gebrauch von *ser* und *estar* eindeutig. Die Erfahrung zeigt jedoch, wie viel Kopfzerbrechen diese spanischen Verben verursachen. Hier die häufigsten Anwendungen:

estar $\Big\{$
Mañana *estoy* en Berlin. (Ortsangabe)
¿*Estás* muy cansada? (Zustand)

ser $\Big\{$
Carlos *es* ingeniero. (vor Substantiven)
Son las siete y media. (Zeitangabe)
Antonio *es* sincero. (charakteristische Eigenschaft)

Es ist vor 11 Uhr gewesen.

Er ist schon im Bett.

Ist er ein Freund von ihrem Vater?

Sie ist ein sehr hübsches Mädchen.

Wo ist mein Wörterbuch?

Mein kleiner Bruder ist der Intelligenteste von uns allen.

Wir sind noch nicht fertig.

Ich bin kein Schriftsteller, ich bin Journalist.

Bleiben Sie bei uns, es ist noch sehr früh.

Warum sind Sie heute so unruhig?

seit

desde las tres – seit 3 Uhr (Zeitpunkt)

desda hace un mes
hace un mes *que* } seit einem Monat (Zeitraum)

Er erwartet Sie seit einer Stunde.

Seit wann rauchen Sie (denn)?

Seit Januar wohnen sie im eigenen Haus.

Wir sind seit langem nicht dort gewesen.

Aufgepasst!
desde que – seit(dem)

Seit er den Unfall hatte, kommt er mit dem Bus.

so

tan – so (vor Adjektiven und Adverbien)
tanto – so sehr (vor Verben)
así – auf diese Weise

Deine Freundin ist nicht so entschlossen wie du.

Warum hat dich dieses Buch so beeindruckt?

Sie werden nicht so bald zurückkommen.

So wird dieses Wort nicht geschrieben.

Sein Besuch hat uns so sehr gefreut, dass wir ihn für nächste Woche wieder eingeladen haben.

So wirst du es nie lernen.

80

sollen

Dicen que no ha venido. – Sie soll nicht gekommen sein. (Gerücht)
Que vengas. – Du sollst kommen. (Aufforderung)
Si viniera … – Wenn er kommen sollte… (Möglichkeit)

Du sollst zu Hause bleiben, bis sie kommt.

Er soll das Buch nicht gelesen haben.

Solltest du Zeit haben, so könnten wir baden gehen.

Er soll bis morgen warten!

Hast du gehört? Er soll im Lotto gewonnen haben.

Sollten Sie meinen Vorschlag annehmen, so könnten wir uns morgen treffen.

Aufgepasst!

sollen (moralische Pflicht) – *deber*

Glaubst du nicht, dass wir
ihm helfen sollten?

Spiel

81

el juego – Spiel (allg), Glücksspiel
la partida – Brett-/Kartenspiel
el partido – Bewegungsspiel, Sport

Das Tennisspiel zwischen
Australien und Italien
war sehr aufregend.

Dieses Spiel ist langweilig.

Dienstags treffen wir uns
zu einer Partie Domino.

Das Fernsehen überträgt
das Fußballspiel Brasilien
– England.

Er hat sein Geld beim
Spiel verloren.

Er stand auf und verließ
das Spiel.

82

spielen

jugar (a) – (ein Spiel) spielen
tocar – (ein Instrument) spielen
hacer el papel (de) – (eine Rolle) spielen

Samstag gehen wir Tisch-
tennis spielen.

Sie spielt die Hauptrolle
in diesem Stück von
Calderón.

Er spielte sehr gut Fußball.

Er spielt sehr gut Klavier.

Spiele nicht mit dem Feuer!

Er hat letztes Jahr den
Don Juan gespielt.

Sie singen und spielen
mexikanische Volkslieder.

Aufgepaßt!

Was wird heute im Kino gespielt? – ¿Qué *ponen* hoy en
el cine?
den Kranken/Dummen spielen – *hacerse* el enfermo/el
tonto

83

Straße

la calle – Straße innerhalb einer Ortschaft
la carretera – Landstraße

Meine Eltern haben viele
Jahre in dieser Straße
gewohnt.

Ist die Straße von Barcelona nach Valencia auch gut?

Die Straßen dieser Stadt
sind breit und gerade.

Die spanischen Straßen
sind heute so gut wie die
französischen.

unter

bajo, debajo de – unter, unterhalb von
entre – zwischen (mehreren); bei (und fig)

Ist einer unter Ihnen, der
es weiß?

Er trägt eine Pistole unter
dem Mantel.

Unter den Zuschauern
befand sich der deutsche
Botschafter.

Unter dem Beifall der
Menge verließ er den Saal.

Der Hund lag unter dem
Tisch.

Aufgepasst!

Kinder unter 10 Jahren – niños *menores de* diez años

85

verdienen

ganar – Geld verdienen, Gewinn erzielen
merecer(se) – zu Recht erhalten

Diese Tat verdient eine Belohnung.

Wie viel verdienst du im Monat?

Er hat diesen Preis verdient.

Ab Juli verdient sie mehr als früher.

86

verstehen

entender, comprender – begreifen
entender por – verstehen unter
oír – hören
saber – es verstehen

Ich verstehe Sie nicht gut, weil das Radio einge-schaltet ist.

Jetzt verstehe ich, was sie will.

Wenn ich recht verstanden habe, wird es keine Ge-haltserhöhung geben.

Er versteht es, seine Zu-hörer zu überzeugen.

Was verstehen Sie unter
Demokratie?

Sie versteht es, sich jeder
Situation anzupassen.

Die Telefonleitung ist ge-
stört, ich habe kaum etwas
verstanden.

Nicht jeder versteht unter
Zuverlässigkeit dasselbe.

Versuch (vgl. „Probe")

87

el intento, la prueba – Versuch (allg)
el experimento – wissenschaftlicher Versuch

Die Atomwaffenversuche
sind unterbrochen worden.

Beim zweiten Versuch ist
er höher gesprungen als
seine Gegner.

Probiere es (doch), ein
Versuch kostet nichts.

Der Laborversuch wird
wahrscheinlich gelingen.

88

versuchen

intentar, tratar de – sich um etwas bemühen
probar – kosten

Versuchen Sie diesen
Rotwein!

Ich will versuchen das
Auto zu verkaufen.

Der Räuber versuchte zu
fliehen.

Du solltest den Kuchen
versuchen.

Aufgepasst!
auf die Probe stellen – *tentar*

Ich bin versucht, morgen
an die See zu fahren.

89

voll

lleno – voll gefüllt (→ **vacío**)
completo – völlig, vollständig (→ **parcial**)

Unterschreiben Sie bitte
mit Ihrem vollen Namen.

Der Autobus war sehr
voll.

Der Konzertsaal war voll
von Studenten.

Erst viele Jahre später
verstanden wir die volle
Bedeutung dieser Worte.

vor

90

hace – auf heute bezogen
antes de – auf einen beliebigen Zeitpunkt bezogen } zeitlich

delante de
ante } örtlich

Vor drei Monaten kaufte
ich ein Motorrad.

Wir beginnen schon vor
8 Uhr zu arbeiten.

Sie verbringt viele Stunden
vor dem Spiegel.

Meine Frau wird nicht
vor 5 Uhr zurückkommen.

Heute vor einem Jahr wa-
ren wir in Kolumbien.

Der Hund stellt sich im-
mer vor die Tür.

91

Wahl; wählen

elegir – wählen
las elecciones – Wahlen zum Parlament
votar por – stimmen für
la votación – Abstimmung

Wähle das, was dir am
besten gefällt.

Ich werde den jüngeren
Kandidaten wählen.

Da viele Delegierte fehlten,
war die Wahl ungültig.

Der Ausgang der Wahlen
ist noch ungewiss.

Welche Partei wählen Sie?

Du hast dir das schönste
Kleid ausgesucht.

Aufgepasst!

Auswahl $\Big\}$ *la elección* – das Auswählen
el surtido – Warenangebot

Für mich ist es eine
schwierige Wahl.

Diese Firma hat eine
große Auswahl an
Kühlschränken.

während

durante + Substantiv – Präposition (zeitlich)
mientras (que) + Verb – Konjunktion (Zeit oder Gegensatz)

Man hat ihm die Tasche gestohlen, während er schlief.

Wir haben während der ganzen Ferien Sonne gehabt.

Du gehst nie aus, während dein Freund jeden Abend tanzen geht.

Während der Fahrt habe ich ein paar Zeitschriften gelesen.

Er ist sehr nervös, während sein Bruder ganz ruhig ist.

Während des Krieges lebten wir auf dem Land.

Es ist interessant das Kind zu beobachten, während es spielt.

Während des Spiels pfiffen die Zuschauer oft.

93

weit (vgl. „weiter")

1. *largo* (adj)
   lejos (adv) } weit entfernt
2. *ancho, amplio* – ausgedehnt

Vor uns sehen wir eine weite Wüste.

Wohnen Sie weit von hier?

Mit dem Zug nach Dänemark? Das ist eine weite Reise.

Es ist eine weite und trockene Ebene.

Mit dieser Methode wirst du nicht weit kommen.

Aufgepasst!
weit (bei Kleidungsstücken): *ancho*

Dieser weite Rock ist sehr hübsch.

94

weiter (vgl. „weit")

más (adv) – darüber hinaus
otros (adj) – sonstige, übrige

Haben Sie weitere Wünsche?

Es war weiter niemand da.

Sie werden bald weitere Informationen bekommen.

Ein Schritt weiter, und ich schieße!

Aufgepasst!

seguir/continuar trabajando – weiter arbeiten

Schreibt bitte weiter!

Sie beschäftigt sich weiter mit dieser Angelegenheit.

weniger als (vgl. „mehr als")

95

menos que – weniger als

dagegen:
menos de – (vor Zahlen); *menos de lo que* – (vor Sätzen)

Dieser Film ist weniger interessant als der französische.

Er kann weniger, als er behauptet hat.

Diese Stadt ist weniger schön als Barcelona.

Nur wenige Facharbeiter verdienen weniger als 2 000 Mark im Monat.

Peter hat weniger gelernt, als ich dachte.

Für weniger als 1000 Peseten kann man heute fast nirgends essen.

96

wenn

Wirklichkeit:
Si viene, me alegro.
Wenn sie/er kommt, freue ich mich.

Möglichkeit:
Si viniera, me alegraría.
Si viniese, me alegraría.
Wenn sie/er käme, würde ich mich freuen.

Unwirklichkeit:
Si hubiera venido, me habría alegrado.
Si hubiese venido, me habría alegrado.
Wenn sie/er gekommen wäre, hätte ich mich gefreut.

Wenn ich Geld hätte, würde ich eine Reise nach Mexiko machen.

Wenn Sie uns geschrieben hätten, hätten wir auf Sie gewartet.

Wenn du willst, gehen wir ins Kino.

Wenn das wahr wäre, würde er zurücktreten.

Wenn du es mir sagst, gebe ich dir einen Kuss.

Du hättest Zeit gespart, wenn du dorthin gegangen wärest.

werden

Eines der Wörter, das sich am schwierigsten übersetzen lässt. Die Regeln für den Gebrauch sind nicht immer exakt. Für die verschiedenen Nuancen dieses Verbs hat das Spanische zahlreiche Übersetzungen. Die häufigsten:

hacerse + Substantiv oder Adjektiv ⎫
llegar a ser + Substantiv ⎭ etwas werden

ponerse – plötzlich werden
ser – werden (Passiv)

Er ist Ingenieur geworden.

Das Haus ist in wenigen Monaten erbaut worden.

Warum bist du auf einmal so blass geworden?

Früher war er nicht so; weißt du, warum er so arrogant geworden ist?

Aus unserer Freundschaft wurde Liebe.

Die Rede des Kanzlers wurde vom Rundfunk übertragen.

Er wurde sehr traurig, als wir es ihm erzählten.

Aufgepasst!

„Werden" + adj wird oft durch ein besonderes Verb übersetzt, z.B.:
arm/reich werden – *enriquecerse/empobrecerse*
müde/wach werden – *cansarse/despertarse*
dunkel/hell werden – *anochecer/amanecer*

98 **wie**

como – wie (Vergleich)
qué – wie (Ausruf)
cómo – auf welche Art
cuánto – wie sehr

Sie wissen nicht, wie ich
Sie beneide.

Jetzt arbeitet er so viel
wie Sie.

Wie schön ist (doch) das
Wetter heute!

Wie komme ich zum
Bahnhof, bitte?

Wir werden wie immer
spät ins Bett gehen.

Heute kann er nicht kom-
men, wie schade!

Wie hast du das gemacht?

Ihr könnt euch nicht vor-
stellen, wie ich euch
vermisse.

Aufgepasst!

Wie spät ist es? – ¿*Qué* hora es?
Wie groß ist das Zimmer? – ¿*Qué* altura tiene la
                habitación?
Wie lange bleibt ihr hier? – ¿*Cuánto* tiempo os quedáis
                aquí?
das Gleiche wie – lo mismo *que*

zeigen

enseñar, mostrar – vorführen, sehen lassen
señalar – hinzeigen, weisen
demostrar – beweisen

Sie zeigte mit dem Finger
auf uns.

Morgen zeige ich Ihnen
die Bilder von den Ferien.

Der Wegweiser zeigt nach
Westen.

Diese Arbeit zeigt, dass
Sie viel gelernt haben.

Würden Sie mir zeigen,
wie es gemacht wird?

Seine Fragen zeigten, dass
er großes Interesse an
diesem Geschäft hat.

Aufgepasst!

sich zeigen – *mostrarse*

Warum hat er sich so
reserviert gezeigt?

Zeit

el tiempo – Zeit (allg)
la hora – Zeitpunkt, Uhrzeit, Stunde

Diese Arbeit hat mich viel
Zeit und Geld gekostet.

Beeile dich, es ist Zeit
zum Unterricht zu gehen.

Wir sehen uns übermor-
gen um die gleiche Zeit.

Man muss mit der Zeit
gehen.

zunehmen

engordar – an Gewicht zunehmen
aumentar – größer werden, wachsen

Bei diesem Essen kannst
du (auch) nicht zunehmen.

Die Schmerzen haben
neuerdings zugenommen.

Der Sturm wird noch an
Stärke zunehmen.

In den Ferien hat sie
3 Kilo zugenommen.

Vorsicht, Falle!

Verschiedene Artikel, verschiedene Bedeutung

la capital	*el capital*	*la cura*	*el cura*
Hauptstadt	Vermögen	Behandlung	Priester

la editorial	*el editorial*	*la final*	*el final*
Verlag	Leitartikel	Endspiel	Ende

la orden	*el orden*	*la parte*	*el parte*
Befehl	Ordnung	Teil	Kriegsbericht

la pendiente	*el pendiente*	*la policía*	*el policía*
Abhang	Ohrring	Polizei	Polizist

Verschiedene Endung, verschiedene Bedeutung

el cuento	*la cuenta*	*el punto*	*la punta*
Erzählung	Rechnung	Punkt	Spitze

el resto	*la resta*	*el río*	*la ría*
Rest	Subtraktion	Fluss	Fjord

el suelo	*la suela*	*el velo*	*la vela*
Fußboden	Schuhsohle	Schleier	Kerze

Gleiche Aussprache, verschiedene Schreibung und Bedeutung

basto	*vasto*	*bello*	*vello*
grob	ausgedehnt	schön	Körperhaar

botar	*votar*	*espiar*	*expiar*
springen	wählen	spionieren	sühnen

Vorsicht, nicht verwechseln!

Abort **retrete**	≠	**el aborto** Abtreibung
apart **refinado**	≠	**aparte** abseits
Artist/in **el/la artista de circo**	≠	**el/la artista** Künstler/in
Ballon **el globo**	≠	**el balón** Ball
Beweis **la demostración**	≠	**la manifestación** Demonstration
bizarr **caprichoso**	≠	**bizarro** tapfer
brav **bueno**	≠	**bravo** wild
dezent **discreto**	≠	**decente** anständig
fidel **jovial**	≠	**fiel** treu
Gymnasium **el Instituto**	≠	**el gimnasio** Turnhalle
indiskutabel **inaceptable**	≠	**indiscutible** unbestreitbar
Konkurrenz **la competencia**	≠	**la concurrencia** Zulauf
Labor **el laboratorio**	≠	**la labor** Arbeit
Mantel **al abrigo**	≠	**el mantel** Tischdecke

Notiz **el apunte**	≠	la noticia Nachricht
Novelle **la novela corta**	≠	la novela Roman
patent **estupendo**	≠	**patente** offensichtlich
pedantisch **meticuloso**	≠	**pedante** schulmeisterlich
penibel **minucioso**	≠	**penoso** beschwerlich
prima **fantástico**	≠	la prima Prämie; Cousine
solide **serio; duradero**	≠	**sólido** dicht
Spiritus **el alcohol**	≠	**el espíritu** Geist

Kurzhinweise

älter	älter als: *mayor que* Mi hermana es *mayor que* yo. betagt: *anciano, mayor* Era un señor *anciano/mayor* con barba.
Anlage	Geldanlage: *la inversión;* bei einem Brief: *el anexo;* Grünanlage: *los jardines, el parque*
ander, anders	ein anderer: *otro* (immer ohne Artikel) ¿Tiene usted *otro* diccionario? anders als: *distinto de* Es totalmente *distinto de* su hermano.

auffordern	verlangen: *exigir* Ella le *exigió* que abandonara la casa. zum Tanz auffordern: *sacar a bailar* ¿La *has sacado a bailar*?
baden	jdn baden: *bañar* Vamos a *bañar* al niño. selbst baden: *bañarse* *Me baño* todos los días.
besuchen	jdn/einen Ort besuchen: *visitar, ir a ver;* die Schule/eine Veranstaltung besuchen: *asistir a, ir a*
Demonstration	*la manifestación;* dagegen: *la demostración* Beweis; Vorführung (eines Geräts)
dick	beleibt: *gordo, grueso;* zähflüssig: *espeso, denso*
Gelegenheit	Anlass: *la ocasión;* günstige Gelegenheit: *la oportunidad*
groß	geräumig: *amplio, grande* La oficina es *amplia/grande.* hochgewachsen: *alto* Es tan *alto como* su padre.
Haar	Haupthaar: *el pelo, el cabello;* Körperhaar: *el vello*
Kette	Metallkette: *la cadena;* Perlenkette: *el collar*
Kriminal-	Kriminalfilm/-roman: *la película/ la novela policiaca;* Kriminalpolizei: *la policía criminal*

langsam	Adjektiv: *lento* **un vals *lento*: ein langsamer Walzer** Adverb: *despacio* **¡Anda más *despacio*!** Geh langsamer!
Leder	weiches Leder: *la piel* **un bolso de *piel*: eine Leder-** handtasche hartes Leder: *el cuero* **una correa de *cuero*: ein Leder-** riemen
leihen	verleihen: *prestar;* entleihen: *tomar/pedir prestado*
Person	allg: *la persona* **La entrada cuesta 4 marcos por** ***persona*.** Person (Literatur, Theater): *el personaje* **Los *personajes* de esa novela re-** **flejan el carácter español.**
Plastik	Werkstoff: *el plástico;* Kunstwerk: *la escultura*
Praxis	Gegensatz zu Theorie: *la práctica;* Arbeitsraum für Arzt/Anwalt: *la consulta del médico/el bufete* *del abogado*
Protokoll	Strafmandat (im Straßenverkehr): *la multa;* Sitzungsprotokoll: *el acta* de la sesión; diplomatisches Zeremoniell: *el protocolo*
Rätsel	Geheimnis: *el enigma, el misterio;* Aufgabe zum Raten: *la adivinanza;* Kreuzworträtsel: *el crucigrama*

regieren	Regierung: *gobernar;* König: *reinar*
sparsam	Personen: *ahorrador* una persona *ahorradora;* Sachen (Wagen usw): *económico* una moto *económica*
Stück	Teil: *el trozo, el pedazo* un *trozo/pedazo* de chocolate; Theaterstück: *la obra de teatro;* Musikstück: *la pieza de música*
Tasche	Manteltasche usw: *el bolsillo,* *el bolso;* Handtasche: *el bolso;* große Tasche: *la bolsa*
Tresor	Geldschrank: *la caja fuerte/de* *caudales;* dagegen: *el tesoro* Schatz, Reichtum
Wert, wert	Wert: *el valor;* wert sein: *valer;* der Mühe wert sein: *valer la pena*
Zahn	(Schneide)Zahn: *el diente;* dagegen: **Tengo** *dolor de muelas.* Ich habe Zahnschmerzen.
Zensur	Leistungsnote: *la nota;* dagegen: *la censura* (Kontrolle von Zeitungen usw)
Zeugnis	Bescheinigung = *el certificado;* *el certificado de estudios;* Schulzeugnisse: *la notas;* Zeugenaussage: *el testimonio*

Lösungen des Einführungstests (S. 6-8)

Die Zahlen in Klammern verweisen auf die Nummern der entsprechenden deutschen Stichwörter.

1. cristal, vidrio (40)
2. sabe (50)
3. pesada (74)
4. me refería a (58)
5. tocar (82)
6. premio (67)
7. el partido (81)
8. deudas (73)
9. ponerte (5)
10. tengo ganas de, quiero (59)
11. es ruidosa (54)
12. que viene, próximo (61)
13. aumentado (101)
14. cocido, hervido (48)
15. se puso (97)
16. todos los (3)
17. (se) merece (85)
18. traer (18)
19. una pareja (63)
20. resolver, solucionar (56)
21. sabe (72)
22. antes del (90)
23. votaré por/al (91)
24. qué (98)
25. hubieras/hubieses leído (96)
26. tamaño (42)
27. pintura (27)
28. entre (84)
29. un balón (9)
30. rayo (15)
31. tanto (79)
32. carretera (83)
33. hora (100)
34. a, hacia (60)
35. luego, depués (19)
36. ir (49)
37. pescado (29)
38. novia (31)
39. cuestión (30)
40. por (34)
41. mala (17)
42. está (77)
43. me acuerdo de, recuerdo (24)
44. intentado, tratado de (88)
45. hacia (37)
46. desde hace (78)
47. un mapa (47)
48. mucho (76)
49. hay (45)
50. de (57)

Index der spanischen Wörter

Die Zahlen verweisen auf die Nummern der deutschen Stichwörter, es sei denn, die Seitenzahl (S.) ist angegeben.